本書は，興味深い具体例とともに，確率を楽しく学べる1冊です。"最強に"面白い話題をたくさんそろえましたので，どなたでも楽に読み進めることができます。日々の生活の中で役に立つことが，きっとみつかるはずです。どうぞお楽しみください！

ニュートン超図解新書

最強に面白い

確率

~最強の雑学編~

【本書の主な登場人物】

ジローラモ・カルダノ
（1501 ～ 1576）
イタリアの数学者。確率論の発展に貢献した。ギャンブルにお金をつぎ込み，身をほろぼしたという。

ウサギ

ネズミ

男子中学生

女子中学生

第1章

オドロキの確率

世の中には，さまざまな確率があります。第1章では，「こんな確率が計算されているのか！」というものや，「イメージとちがった！」という意外な確率など，オドロキの確率を紹介します。

1 雷に打たれる確率は，1年間に「851万3500分の1」

アメリカでは，約 $\dfrac{1}{122万2000}$

近年，ゲリラ豪雨が猛威を振るっており，雷に恐怖することも多いのではないでしょうか。アメリカの海洋大気庁（NOAA）は，雷に打たれる確率が1年間に約 $\dfrac{1}{122万2000}$ と計算しています。アメリカでは，2009年から2018年の10年間で，雷による死傷者数が毎年平均270人でした。これを2019年の予想人口の3億3000万人で割って求めたものです。

1年間に14.8人が雷に打たれている

この計算方法に，日本の統計をあてはめてみましょう。警察庁が発表している「警察白書」によ

1 雷に打たれる確率の計算

アメリカの海洋大気庁（NOAA）は，落雷による10年間の年平均死傷者数を総人口で割って，1年間に雷に打たれる確率を求めています。同様に，日本の統計を用いて計算しました。

計算式

$$14.8 ÷ 1億2600万 ≒ \frac{1}{851万3500}$$

計算の意味

落雷による10年間の年平均死傷者数÷総人口
＝1年間に雷に打たれる確率

15

ると，2000年〜2009年の10年間で，落雷による死者・行方不明者と負傷者を合わせた人数は148人でした。平均すると，1年間で14.8人になります。現在の日本の総人口は，1億2600万人です。計算すると，次のようになります。

$$14.8 \div 1億2600万 \fallingdotseq \frac{1}{851万3500}$$

日本で雷に打たれる確率は，1年間に約 $\frac{1}{851万3500}$ ということです。 アメリカよりは，低い確率になっています。

雨の日は雷に気をつけよう！

2　巨大隕石で死ぬ確率は，「3万2400分の1」

50万年に1度の衝突で，15億人が死亡

　ときおり，隕石のニュースを見ることがあります。隕石によって，死亡することはあるのでしょうか。アメリカのサウスウエスト研究所のクラーク・チャップマン博士が，1994年に発表した「小惑星と彗星による地球への影響：危険性の評価」という論文では，次のように計算されています。

　まず論文では，世界で15億人が死亡するような巨大隕石の衝突が，50万年に一度おきると想定しています。

　1年あたりで考えると，死亡者数は15億人÷50万年＝3000人となります。次に，この3000人を世界の人口※で割ることによって，この隕石

で1人が1年間に死亡する確率を求めています。

それが約 $\frac{1}{130万}$ です。

そして，この隕石で1人が一生の間に死亡する

確率は，約 $\frac{1}{130万}$ に当時の世界の平均寿命であ

る65歳をかけて，約 $\frac{1}{2万}$ と計算しています。

現在の世界の人口と
平均寿命で計算

チャップマン博士の計算方法に，現在の世界の

人口70億人と，現在の世界の平均寿命72歳をあ

てはめると，次のようになります。

$$（15億 ÷ 50万）÷ 70億 × 72 ≒ \frac{1}{3万2400}$$

※：論文には，世界の人口を何人で計算したのかは記されていません。

2 巨大隕石で死ぬ確率の計算

巨大隕石が人間に直接ぶつかるのではなく，人々が衝突の衝撃に巻き込まれるケースを考えています。50万年に1度の巨大隕石で，15億人が死亡すると想定しています。

計算式

$$（15億 ÷ 50万）÷ 70億 × 72 ≒ \frac{1}{3万2400}$$

計算の意味

巨大隕石による1年あたりの死亡者数 ÷ 世界の人口 × 平均寿命
＝一生の間に巨大隕石で死ぬ確率

19

日本は，世界2位の隕石保有国

　隕石といえば，日本はなんと世界第2位の隕石保有国です。世界的にみて小さな島国の日本に，こんなに多くの隕石があるなんて，意外ですよね。

　実は日本の隕石は，日本の観測隊が南極で発見したものです。その数は，2010年の時点で，約1万7000個です。日本の観測隊は，1969年から南極で隕石を採集しています。1974〜1975年の観測では，10日間で663個の隕石を発見しました。当時は，世界中で発見された隕石の総数が約2500個だったことから，大きな話題となりました。

　なぜ，日本の観測隊がこれほど多くの隕石を発見できたのかというと，観測地の「やまと山脈」が，隕石の集まる場所だからです。隕石は氷に覆われた南極に落ちると，普通は長い時間をかけて，流

動する氷とともに海に流れ落ちます。ところがやまと山脈の近くに落ちた隕石は，やまと山脈によってせき止められ，たまっていきます。これが，日本が世界第2位の隕石保有国である理由なのです。

3 火事にあう確率は、1年間に「1426分の1」

1日に108件の火事がおきている

　日本では、1年間に4万件近い火事がおきています。消防庁の発表によると、2017年の総出火件数は、3万9373件です。**単純に365日で割ると、1日に約108件の火災がおきていることになります。**そう考えると、火事にあう確率は、非常に高そうに感じます。実際に確率を求めてみましょう。

1年間の総出火件数と世帯数を使って計算

　火事にあう確率は、総出火件数を世帯数で割ることによって求めることができます。1年間の総出火件数は3万9373件で、世帯数は5615万

22

3 火事にあう確率の計算

火事にあう確率は，出火件数を世帯数で割って求めます。自分の家が火事になるかどうかを考えるために，人口の数ではなく世帯数で割ります。

計算式

$$3万9373 \div 5615万3341 ≒ \frac{1}{1426}$$

計算の意味

2017年の総出火件数÷世帯数＝1年間に火事にあう確率

23

3341世帯（2018年1月1日時点）です。したがって

$$3万9373 \div 5615万3341 \fallingdotseq \frac{1}{1426}$$

となります。1年間に火事にあう確率は，$\frac{1}{1426}$ ということです。

　ちなみに，消防庁によると火災で損害を受けた建物の数を示す焼損棟数は，3万824棟です。1日あたり84.4棟が何らかの火災被害を受けているということです。

　出火原因の1位はたばこ，2位は放火，3位はこんろとなっています。

火の用心！

4 サメに襲われて死ぬ確率は，「407万5000分の1」

2003年のデータでは，$\frac{1}{374万8000}$

海水浴を楽しんでいると，巨大なホオジロザメに襲われる…。これは，映画の中だけの話なのでしょうか。アメリカのフロリダ州自然史博物館によると，アメリカでサメに襲われて死亡する確率は，$\frac{1}{374万8000}$ と計算されています。

この確率は，2003年のデータをもとに計算されたものです。まず，2003年にサメに襲われて死亡した人は，1人でした。これを，2003年のアメリカの総人口2億9085万人で割り，2003年に生まれた人の平均余命77.6歳をかけて求めています。

2015年のデータでは，確率が低くなった

　この計算にのっとって，2015年の数値で確率を求めてみましょう。2015年もサメに襲われて死亡した人は，1人でした。2015年のアメリカの総人口は3億2074万人で，2015年生まれの人の平均余命は78.7歳です。計算すると，次のようになります。

$$1 \div 3億2074万 \times 78.7 \fallingdotseq \frac{1}{407万5000}$$

2003年とくらべると，確率は低くなりました。

サメに襲われる可能性はゼロではないということだね。

26

4 サメの襲撃で死ぬ確率の計算

1年間にサメに襲われて死亡した人数を，その年のアメリカの総人口で割ります。さらに，その年に生まれた人の平均余命をかけて求めます。

計算式

$$1 \div 3億2074万 \times 78.7 \fallingdotseq \frac{1}{407万5000}$$

計算の意味

1年間にサメに襲われて死亡した人数÷その年のアメリカの総人口×その年に生まれた人の平均余命＝一生の間にサメに襲われて死ぬ確率

日本の危険生物

　日本でも，海水浴場などでサメが目撃されることはあります。しかし，死亡事故はあまり聞かれません。日本には，どんな生き物による死亡事故があるのでしょうか。

　厚生労働省の「人口動態調査」には，死因の分類の一つに，「交通事故以外の不慮の事故」という項目があります。さらにこの項目の中には，「いろいろな生き物による咬傷や接触」という項目があります。その中で死亡者数が最も多いのは，「スズメバチ，ジガバチ及びミツバチとの接触」です。2017年の死亡者数は13人で，1984年には過去最多の73人が亡くなっています。

　ニュースなどでは，クマの目撃情報がよく紹介されます。環境省の発表によると，2016年度に

は，クマに襲われて4人が亡くなっています。一方，厚生労働省からは，フグによる食中毒の統計が発表されています。2008年には，フグによる食中毒で3人が亡くなっています。

日本における生物が原因の死者数

生物	死者数	時期
ハチ	13人	2017年
クマ	4人	2016年度
フグ	3人	2008年

5 生涯未婚率は，男「23.4％」，女「14.1％」

50歳の時点で，一度も結婚していない人の割合

生涯未婚率の値は，総務省による平成27年の国勢調査では，男性が23.4％，女性が14.1％でした。生涯未婚率は，どのように求められているのでしょうか。

"生涯"未婚率と聞くと，文字通り一生涯にわたって結婚しなかった人の割合と解釈するかもしれません。しかし実際には，50歳の時点で一度も結婚していない人の割合を，生涯未婚率とよんでいます。

5 生涯未婚率の計算

生涯未婚率は，50歳の時点での未婚率です。45〜49歳の未婚率と50〜54歳の未婚率を，平均して求めます。

計算式

男性：$(25.9 + 20.9) \div 2 = 23.4$
女性：$(16.1 + 12.0) \div 2 ≒ 14.1$

計算の意味

（45〜49歳の未婚率＋50〜54歳の未婚率）÷2
≒50歳の時点の未婚率＝生涯未婚率

31

45〜49歳と50〜54歳の平均

　国勢調査では，配偶関係について，「未婚，有配偶，死別，離別」のいずれかを調べます。その結果をもとに，男女別に5歳きざみで未婚率が計算されています。

　たとえば男性の未婚率は，45〜49歳が25.9％，50〜54歳が20.9％です。女性の未婚率は，45〜49歳が16.1％，50〜54歳が12.0％です。

　そして45〜49歳の未婚率と50〜54歳の未婚率の平均が，生涯未婚率となります。計算すると，次の通りです。

男性：（25.9 + 20.9）÷ 2 = 23.4

女性：（16.1 + 12.0）÷ 2 ≒ 14.1

memo

寿司にお金を使う地域は？

　国勢調査を行っている総務省統計局は，さまざまな調査を行っています。ニュースなどでよく話題になるものとしては，物価の変動をあらわす消費者物価指数や，失業の状況を示す完全失業率などがあります。

　統計局は，こうした"かたい"調査ばかりでなく，寿司に最もお金をかける地域のランキングという，かわった調査も行っています。都道府県庁所在地と政令指定都市の，2人以上の世帯を対象にした家計調査の一環で，調べられました。

　調査によると，1位は金沢市，2位は岐阜市，3位は福井市でした。1位の金沢市と3位の福井市は日本海に面した北陸の都市なので納得です。しかし，海のない内陸に位置する岐阜市が2位というの

は，意外な結果ではないでしょうか。ちなみに岐阜市は，喫茶代のランキングで，喫茶店の朝食メニューが豪華なことで知られる名古屋市をおさえて，1位になっています。

寿司の外食にかける費用ランキング

順位	地域	金額
1	金沢市	2万3123円
2	岐阜市	2万 813円
3	福井市	2万 551円
4	宇都宮市	1万9663円
5	甲府市	1万9384円
6	静岡市	1万9229円
7	札幌市	1万8725円
8	名古屋市	1万7972円
9	川崎市	1万7572円
10	山形市	1万7258円
	全国	1万4693円

注：総務省統計局の「家計調査（2人以上の世帯），品目別都道府県庁所在地及び政令指定都市ランキング」より（2015年～2017年平均）

6 じゃんけんでパーが勝つ確率は,「35％」

33.3％ずつにはならない!?

じゃんけんの出し手は, グー, チョキ, パーの三つです。それぞれの手の勝つ確率は, 1回勝負の場合, 33.3％ずつと考えるのが普通でしょう。**しかしパーが勝つ確率は, 35％でほかの手よりも高いという統計データがあります。**これは, 桜美林大学の芳沢光雄教授が, 725人の学生を集めて, 1万1567回のじゃんけんを行った結果です。じゃんけんの出し手は, グーが4054回, パーが3849回, チョキが3664回でした。パー, チョキ, グーが勝つ確率を計算すると, 次のようになります。

グーが出る確率＝パーが勝つ確率

＝ 4054 ÷ 11567 ≒ 35 ％

6 じゃんけんで勝つ確率の計算

実際に行った1万1567回のじゃんけんの結果をもとに計算しています。それぞれの手が出た回数を総回数の1万1567で割って，確率を求めました。

計算式

グーが出る確率＝パーが勝つ確率＝4054÷11567≒35%
パーが出る確率＝チョキが勝つ確率＝3849÷11567≒33%
チョキが出る確率＝グーが勝つ確率＝3664÷11567≒32%

計算の意味

それぞれの手が出る確率＝それぞれの手に勝つ手が出る確率
＝それぞれの手が出た回数÷じゃんけんの総回数

パーが出る確率＝チョキが勝つ確率

＝ 3849 ÷ 11567 ≒ 33%

チョキが出る確率＝グーが勝つ確率

＝ 3664 ÷ 11567 ≒ 32%

グーの形は作りやすく，
力強いイメージ

ちなみに，日本じゃんけん協会という団体も，最初はグーが出る可能性が高いとしています。確率論にもとづくものではありませんが，グーの形が最もつくりやすいこと，力強いイメージで勝利を連想しやすいことなどを理由としてあげています。

7　くじ引きの最初と最後，あたる確率は「同じ」

最初は，はずれが多い？

50枚のくじの中に，あたりが1枚あるとします。49枚ははずれです。このとき，いちばん最初にくじを引く人と，いちばん最後の50番目にくじを引く人とでは，あたる確率はちがうのでしょうか。

最初のうちははずれが多いので，あたる確率は低そうに感じます。逆に最後のほうになれば，はずれは減っているので，あたる確率は高そうです。

しかし実際には，最初でも最後でも確率はかわりません。

はずれる確率も考える

ポイントは，あたる確率だけでなく，はずれる確率も考えることです。50人目がくじを引くには，49人目まではずれなければなりません。

1人目であたる確率は，50枚のうちの一つなので，$\frac{1}{50}$ です。2人目があたる確率は，1人目がはずれて2人目であたる確率なので，$\frac{49}{50} \times \frac{1}{49}$ となり，計算すると $\frac{1}{50}$ になります。

最後の50人目は，49人目まではずれて50人目であたる確率なので，$\frac{49}{50} \times \frac{48}{49} \times \frac{47}{48} \times \cdots \times \frac{1}{2} \times \frac{1}{1}$ となり，やはり $\frac{1}{50}$ になります。

くじを引く順番が最初でも最後でも，確率はかわらないのです。

残り物には福がある!?

1 くじ引きであたる確率の計算

2人目があたる確率は，1人目がはずれる確率と2人目があたる確率をかけ合わせて求めます。3人目以降があたる確率も，同じように計算でき，すべて $\frac{1}{50}$ になります。

計算式

1人目があたる確率 $= \frac{1}{50}$

2人目があたる確率 $= \frac{49}{50} \times \frac{1}{49} = \frac{1}{50}$

$\wr$

50人目があたる確率 $= \frac{49}{50} \times \frac{48}{49} \times \frac{47}{48} \times \cdots \times \frac{1}{2} \times \frac{1}{1} = \frac{1}{50}$

計算の意味

1人目があたる確率 = 1人目であたる確率

2人目があたる確率 = 1人目がはずれる確率 × 2人目があたる確率

$\wr$

あたる確率 = 49人目まではずれる確率 × 50人目があたる確率

8 30人クラスで同じ誕生日の ペアがいる確率は，「70％」

「全員の誕生日がことなる確率」を， 1から引く

同じクラスに自分と同じ誕生日の人がいたら，「すごい偶然！」と感じますか？　確率を計算してみましょう。

たとえば，生徒が30人のクラスで，2月29日生まれを考慮せず，1年を365日とします。「1組でも誕生日が一致している確率」は，「全員の誕生日がことなる確率」を求めて，それを1から引くことでを求められます（この計算の考え方の解説は，168〜173ページ）。

「すごい偶然！」
というほどではない

　　まず1人目の誕生日は，どの日でもよいので365通りです。2人目の誕生日は，1人目の誕生日以外なので，365 − 1 = 364通りです。3人目は，1人目と2人目の誕生日以外なので，365 − 2 = 363通りです。このように考えると，30人の誕生日がすべてことなる組み合わせは，365 × 364 × 363 × …… ×（365 − 29）−（A）となります。

　　このAを，生徒30人の誕生日のすべての組み合わせ「365^{30}」で割ると，30人の誕生日がすべてことなる確率が求められます。計算すると約0.3です。したがって，「1組でも誕生日が一致している確率」は，1 − 0.3 = 0.7なので約70%です。「すごい偶然！」というほどではないでしょう。

8 誕生日が一致する確率の計算

1組でも誕生日が一致している確率は，1から全員の誕生日がことなる確率を引くことで求められます。右のグラフは，クラスの人数と，1組でも誕生日が一致している確率の関係です。人数が23人をこえると，確率は50％をこえます。

計算式

$$1 - \frac{365 \times 364 \times 363 \times \cdots \times (365 - 29)}{365^{30}} \fallingdotseq 0.7$$

計算の意味

1－全員の誕生日がことなる確率

$$= 1 - \frac{30人の誕生日がすべてことなる組み合わせ}{30人の誕生日のすべての組み合わせ}$$

＝1組でも誕生日が一致している確率

クラスの人数と，1組でも誕生日が一致している確率の関係

（％）
100
97 %
70 %
50 %

1組でも誕生日が一致している確率

10　　20　　30　　40　　50　　（人）
クラスの人数

9 1％の確率のガチャ, 100回はずれは「36.6％」

確率1％なら, 100回に1回はあたる？

　スマートフォンのゲームでは, ガチャとよばれる抽選方式によって, キャラクターやアイテムなどが手に入ります。いわゆる"レア度"ごとに手に入る確率が設定されており, レア度の高いものは確率1％ということがあります。1％ということは, 100回引けば1回はあたりそうだと直感的に思うでしょう。はたしてそうでしょうか。

　確率が1％でかわらないガチャを100回引いて, すべてはずれる確率を計算してみましょう。1回目がはずれる確率は, $\frac{99}{100}$ で99％です。2回連続ではずれる確率は, $(\frac{99}{100})^2$ で約98％です。**そして100回連続ではずれる確率は, $(\frac{99}{100})^{100}$ で, 計算すると約36.6％になります。**

9 ガチャではずれる確率の計算

スマホゲームの場合，1回目でも2回目でも確率は $\frac{99}{100}$ でかわりません。そのため，連続ではずれる場合を考えるときは，$\frac{99}{100}$ を回数分だけかけ合わせるのです。

計算式

1回目ではずれる確率 $= \dfrac{99}{100} = 99\,\%$

2回連続ではずれる確率 $= \left(\dfrac{99}{100} \right)^2 \fallingdotseq 98\,\%$

$\vdots$

100回連続ではずれる確率 $= \left(\dfrac{99}{100} \right)^{100} \fallingdotseq 36.6\,\%$

計算の意味

1回目ではずれる確率 ＝ 1回引いてはずれる確率

2回連続ではずれる確率 ＝（1回引いてはずれる確率）^{2回}

$\vdots$

100回連続ではずれる確率 ＝（1回引いてはずれる確率）^{100回}

カプセルトイなら確実にあたる

　なぜこのような，直感との差が生まれるのでしょうか。ゲームではなく，100個のカプセルが入ったカプセルトイを想像してください。あたりは一つだけです。1回引いてはずれると中のはずれが減るので，2回目はあたる確率が高まります。そして，100回引けば確実に1回あたります。しかし，スマホゲームでははずれが減らないので，100回連続ではずれる確率があるのです。

課金してガチャを引いても，全部はずれる可能性があるってことだチュー。

memo

10 日本シリーズが最終戦までもつれる確率は，「31％」

実力が互角なら，第7戦までもつれるはず？

プロ野球の「日本シリーズ」は，セ・リーグとパ・リーグの覇者が，日本一をかけて争う試合です。7試合制で対戦し，どちらかのチームが先に4勝すれば決着します。実力が互角の場合，最終戦の第7戦までもつれこむ確率は，どれくらいでしょうか？　セ・パの両チームとも1戦ごとに勝つ確率は50％で，負ける確率も50％とします。

一方のチームが4勝2敗で優勝する勝敗パターンは，52ページの表のように，10通りあります。それぞれの勝敗パターンとなる確率は，$0.5^6 = 0.015625 = 1.5625％$です。**10通りが2チーム分あるので，「4勝2敗で決着がつく確率」は，**

1.5625 × 10 × 2 = 31.25％です。

「4勝2敗」とまったく同じ確率に

これに対して，一方のチームが4勝3敗で優勝する勝敗パターンは，53ページの表のように，20通りあります。求める確率は，0.78125 × 20 × 2 = 31.25％となります。

意外かもしれませんが，「4勝3敗で決着がつく確率」は，「4勝2敗で決着がつく確率」とまったく同じです。実力が互角だからといって，第7戦までもつれこむ可能性が高いわけではないのです。

観戦する側としては，第7戦までもつれたほうが試合をたくさん楽しめるけど・・・。

51

10 日本シリーズの確率の計算

実力を互角と仮定したときの,「4勝2敗で優勝する確率」と「4勝3敗で優勝する確率」の計算結果です。計算過程はちがっても,結果的に同じ確率になることがわかります。

セのチームが「4勝2敗」で優勝する場合(全10通り)

	第1戦	第2戦	第3戦	第4戦	第5戦	第6戦	確率
1.	◯	◯	◯	×	×	◯	$0.5^6 = 0.015625$
2.	◯	◯	×	◯	×	◯	$0.5^6 = 0.015625$
3.	◯	◯	×	×	◯	◯	$0.5^6 = 0.015625$
4.	◯	×	◯	◯	×	◯	$0.5^6 = 0.015625$
5.	◯	×	◯	×	◯	◯	$0.5^6 = 0.015625$
6.	◯	×	×	◯	◯	◯	$0.5^6 = 0.015625$
7.	×	◯	◯	◯	×	◯	$0.5^6 = 0.015625$
8.	×	◯	◯	×	◯	◯	$0.5^6 = 0.015625$
9.	×	◯	×	◯	◯	◯	$0.5^6 = 0.015625$
10.	×	×	◯	◯	◯	◯	$0.5^6 = 0.015625$

1.5625 % × 10通り × 2チーム = 31.25 %

セのチームが「4勝3敗」で優勝する場合（全20通り）

	第1戦	第2戦	第3戦	第4戦	第5戦	第6戦	第7戦	確率
1.	○	○	○	×	×	×	○	$0.5^7 = 0.0078125$
2.	○	○	×	○	×	×	○	$0.5^7 = 0.0078125$
3.	○	○	×	×	○	×	○	$0.5^7 = 0.0078125$
4.	○	○	×	×	×	○	○	$0.5^7 = 0.0078125$
5.	○	×	○	○	×	×	○	$0.5^7 = 0.0078125$
6.	○	×	○	×	○	×	○	$0.5^7 = 0.0078125$
7.	○	×	○	×	×	○	○	$0.5^7 = 0.0078125$
8.	○	×	×	○	○	×	○	$0.5^7 = 0.0078125$
9.	○	×	×	○	×	○	○	$0.5^7 = 0.0078125$
10.	○	×	×	×	○	○	○	$0.5^7 = 0.0078125$
11.	×	○	○	○	×	×	○	$0.5^7 = 0.0078125$
12.	×	○	○	×	○	×	○	$0.5^7 = 0.0078125$
13.	×	○	○	×	×	○	○	$0.5^7 = 0.0078125$
14.	×	○	×	○	○	×	○	$0.5^7 = 0.0078125$
15.	×	○	×	○	×	○	○	$0.5^7 = 0.0078125$
16.	×	○	×	×	○	○	○	$0.5^7 = 0.0078125$
17.	×	×	○	○	○	×	○	$0.5^7 = 0.0078125$
18.	×	×	○	○	×	○	○	$0.5^7 = 0.0078125$
19.	×	×	○	×	○	○	○	$0.5^7 = 0.0078125$
20.	×	×	×	○	○	○	○	$0.5^7 = 0.0078125$

$$0.78125\,\% \times 20\text{通り} \times 2\text{チーム} = 31.25\,\%$$

11 確率で考える，ベストな結婚相手の選び方

最良のAさんと結婚するには？

　もし一生のうちに，10人と順番に交際できるとしたら，いつ結婚しますか？　10人の中には，最良の結婚相手Aさんがいます。ただし，交際中の相手がAさんなのかはわからず，一度別れた相手とは結婚できません。**そこで，何人かと交際して無条件で別れ，その後，過去に交際した人よりも魅力的な人があらわれた時点で結婚するとします。**

3人目まで無条件に別れる

　たとえば，1人目と無条件で別れる場合，1人目がAさんだったとしたら，Aさんと結婚できる確率はゼロです。1人目の交際相手が2番目によ

いBさんだったなら（確率$\frac{1}{10}$），それ以降でBさんより魅力的な人はAさんしかいないので，Aさんが何番目にあらわれたとしてもAさんと結婚できます（確率$\frac{1}{1}$）。その確率は，$\frac{1}{10} \times \frac{1}{1}$と計算できます。1人目の交際相手が3番目によいCさんだったなら（確率$\frac{1}{10}$），それ以降Bさんより Aさんが先にあらわれれば（確率$\frac{1}{2}$），Aさんと結婚できます。その確率は，$\frac{1}{10} \times \frac{1}{2}$です。

計算をつづけると，1人目と無条件で別れた後にAさんと結婚できる確率は，56ページの式のように約28%となります。そのほかは56ページの表のようになり，確率がもっとも高いのは，3人目まで無条件に別れた後です。

素敵な人と出会えるかな？

11 Ａさんと結婚できる確率の計算

無条件に別れる人数と，その後にＡさんと結婚できる確率を表にまとめました。無条件に別れる人数が3人のときが，最も高い確率です。

最良のＡさんと結婚できる確率

（表の下に示した計算式は，1人目と無条件で別れ，その後Ａさんと結婚できる確率の計算式です。）

無条件に別れる人数	0人	1人	2人	3人	4人	5人	6人	7人	8人	9人
確率	10%	約28.3%	約36.6%	約39.9%	約39.8%	約37.3%	約32.7%	約26.5%	約18.9%	10%

$\vdots$

1人目と無条件で別れた後にＡさんと結婚できる確率の計算式

$$0+(\frac{1}{10} \times \frac{1}{1})+(\frac{1}{10} \times \frac{1}{2})+(\frac{1}{10} \times \frac{1}{3})+(\frac{1}{10} \times \frac{1}{4})+(\frac{1}{10} \times \frac{1}{5})$$

$$+(\frac{1}{10} \times \frac{1}{6})+(\frac{1}{10} \times \frac{1}{7})+(\frac{1}{10} \times \frac{1}{8})+(\frac{1}{10} \times \frac{1}{9}) \fallingdotseq 0.283 (= 28.3 \%)$$

～最強の雑学編～

第2章

ギャンブルの確率

確率論は，ギャンブルとともに発展しました。第2章では，ルーレットやポーカーなどの，ギャンブルに関する確率について紹介します。また，ギャンブルの歴史も，コラムで取り上げます。

1 ルーレットの偶数賭けが あたる確率は,「47%」

偶数でも奇数でもない 0と00がある

　ギャンブルといえばカジノ,カジノといえばルーレットを思い浮かべる人も多いのではないでしょうか。アメリカ式のルーレットでは,盤面に1～36の数字と,「0」,「00」の合計38の数字があります。このとき,偶数があたりとなる確率を考えてみましょう。0と00は偶数でも奇数でもないとします※。

　この場合,偶数・奇数のいずれにかけても,あたる確率は $\frac{18}{38}$ です。偶数でも奇数でもない0と00があるため,$\frac{18}{36}$ ではなく,$\frac{18}{38}$ となります。百分率に直すと約47%で,50%を切るのです。18個ずつある赤と黒のどちらかに賭ける場合や,1

※:数学では,0は偶数とされます。

60

～ 36の前半と後半のどちらかに賭ける場合も同
様です。

所持金がふえる可能性は，ごくわずか

　ちなみに，所持金900ドルの客が1ドルずつ
「偶数・奇数賭け」のどちらかに賭けつづけたと
き，運よく所持金が1000ドルまで到達するのは，
わずか10万人に2.7人ほどの割合だといいます。
残りはみんな，所持金が0になってしまうのです。

ギャンブルでお金を増やすのは
難しいってことだね。

1 ルーレットの確率と期待値

ルーレットでは，あたる確率の低い賭け方ほど，あたったときの賭け金の倍率が高くなっています。得られる数値と確率をかけ合わせた値を期待値といい，どの賭け方でも同水準になっています（期待値の解説は，182 〜 185 ページ）。

ルーレットの期待値の一覧

賭け方	賭け方の説明	倍率	確率	期待値の計算	期待値
赤・黒賭け	18個の赤か，18個の黒か	2倍	$\frac{18}{38}$	$2 \times \frac{18}{38} = \frac{36}{38}$	0.947倍
前半・後半賭け	1〜36のうち，前半の18個か後半の18個か	2倍	$\frac{18}{38}$	$2 \times \frac{18}{38} = \frac{36}{38}$	0.947倍
偶数・奇数賭け	18個の偶数か18個の奇数か（0と00は偶数でも奇数でもない）	2倍	$\frac{18}{38}$	$2 \times \frac{18}{38} = \frac{36}{38}$	0.947倍
12数字賭け（縦の列）	賭け金を置く盤面（レイアウト）上の縦の列にある数字12個	3倍	$\frac{12}{38}$	$3 \times \frac{12}{38} = \frac{36}{38}$	0.947倍
12数字賭け（小・中・大）	1〜12，または13〜24，または25〜36	3倍	$\frac{12}{38}$	$3 \times \frac{12}{38} = \frac{36}{38}$	0.947倍
6数字賭け	レイアウト上の横一列にある3個の数字を上下2段分（合計6個）	6倍	$\frac{6}{38}$	$6 \times \frac{6}{38} = \frac{36}{38}$	0.947倍
5数字賭け	0と00と1と2と3（5数字賭けはこの組み合わせのみ）	7倍	$\frac{5}{38}$	$7 \times \frac{5}{38} = \frac{35}{38}$	0.921倍
4数字賭け	レイアウト上で接する4個の数字	9倍	$\frac{4}{38}$	$9 \times \frac{4}{38} = \frac{36}{38}$	0.947倍
3数字賭け	レイアウト上の横一列にある3個の数字	12倍	$\frac{3}{38}$	$12 \times \frac{3}{38} = \frac{36}{38}$	0.947倍
2数字賭け	レイアウト上のとなりあった2個の数字	18倍	$\frac{2}{38}$	$18 \times \frac{2}{38} = \frac{36}{38}$	0.947倍
1数字賭け	0と00を含む38個の数字のうちの1個	36倍	$\frac{1}{38}$	$36 \times \frac{1}{38} = \frac{36}{38}$	0.947倍

ルーレットの歴史

　ルーレットは，フランス語です。ルーレットの語源は，フランス語で「小さい輪，車輪」という意味の，「ルーレ」です。

　ルーレットの起源は古く，古代ギリシアまでさかのぼります。戦士たちが武具である盾の上に剣を置いてまわし，剣先がどの位置に止まるかを賭けたことがはじまりといわれています。また，ローマ帝国の初代皇帝のアウグストゥス（紀元前63〜紀元後14）は，水平に置いた戦車の車輪の上に壺を立てて，車輪をまわす賭け事を行ったといいます。

　ルーレットが現在のような形になった経緯は，はっきりわかっていません。よくいわれるのは，フランスの哲学者で確率論の父ともいわれるブレーズ・パスカル（1623〜1662）が，確率を研究する

ためにルーレットをつくったという説です。フランスの修道士が，娯楽を求めて考えだしたという説もあります。真偽はわかりませんが，17世紀〜18世紀にかけて，ヨーロッパの賭博場で使われるようになったそうです。

2 ドリームジャンボ宝くじ，1等は「1000万分の1」

ワンセット1000万枚の中に，1等は1枚

　多くの人が億万長者への夢を託す宝くじ。1等の当せん確率はどのくらいか，気になるところでしょう。たとえば，「ドリームジャンボ宝くじ」は1000万枚がワンセット（ユニット）となっています。1等はそのうちの1枚なので，当せん確率は $\frac{1}{1000万}$ です。ちなみに，ドリームジャンボ宝くじは70ユニットが販売されます。

主催者が有利に設定されている

　60ページで紹介したルーレットに限らず，その他のギャンブルや宝くじなどでも，基本的には主催者側（胴元）が有利なように条件が設定さ

れているものです。**ドリームジャンボ宝くじは，購入金額の52.67％が，主催者の取り分となるように設定されています。**購入金額の半分以上を，主催者側が得られるようになっているのです。

　ドリームジャンボ宝くじは1枚300円なので，1ユニット1000万枚が完売した場合の総売上は30億円です。その52.67％というと，15億8010万円になります。ちなみに，70ユニットで主催者側が得る総額は，約1100億円です。

ドリームジャンボ宝くじの収益金は，街の公共事業などに役立てられているそうだよ。

2 宝くじの総売上の分配

円グラフは，ドリームジャンボ宝くじ総売上の分配の割合です。宝くじは1000万枚でワンセットとなっており，円グラフの全体が1000万枚分の総売上を示しています。

1 等（6.67 %）

1 等の前後賞（3.33 %）

1 等の組ちがい賞（0.33 %）

2 等（10 %）

3 等（3.33 %）

4 等（0.33 %）

5 等（3.33 %）

6 等（10 %）

7 等（10 %）

主催者（52.67 %）

注：　小数点以下第3位を四捨五入している
　　　ため，すべての値を合計しても，100 %
　　　にはなりません。

3 ロイヤルストレートフラッシュの確率は,「65万分の1」

ノーペアかワンペアは, 92%

トランプゲームのポーカーの役に注目して, それぞれの確率をみていきましょう。ただし, ジョーカーを含まない52枚のカードを使用し, 最初に配られた5枚で役ができる確率とします。

役が弱い順にみていくと, 役がない「ノーペア」の確率はほぼ50%です。次に, 同じ数字のカードが2枚そろう「ワンペア」の確率はおよそ42%です。最初に配られたカードが「ノーペアかワンペア」である確率は, 92%にものぼります。

ロイヤルストレートフラッシュは，65万回に1回

　以降は73ページの表のようにつづきます。そして，すべて同じマークで10，ジャック，クィーン，キング，エースがそろう「ロイヤルストレートフラッシュ」の確率は，約0.000154％です。これは，およそ65万回に1回の割合でしかおきないということです。

　では52枚に，どんな札にもなるジョーカーを1枚含めてみましょう。ロイヤルストレートフラッシュの確率は，約0.000836％に上昇します。ジョーカーがないときよりも，およそ5.4倍も出やすくなります。

ロイヤルストレートフラッシュが出るのは，奇跡みたいなものだね。

71

3 ポーカーの役と確率

ポーカーは，配られた5枚の手札で役をつくって，役の強さを競うゲームです。ジョーカーを含まないカードを使用し，最初に配られた5枚で役ができる確率を表にしました。

ポーカーの役とその確率

役	定義	例	確率
ノーペア	役なし		約 50 %
ワンペア	同じ数字のカードが 2 枚そろう		約 42 %
ツーペア	同じ数字のカード 2 枚のペアが2 セットそろう		約 4.8 %
スリーカード	同じ数字のカードが 3 枚そろう		約 2.1 %
ストレート	5 枚のカードの数字が連続		約 0.4 %
フラッシュ	5 枚すべてが同じマーク		約 0.2 %
フルハウス	ワンペアとスリーカードの組み合わせ		約 0.14 %
フォーカード	同じ数字のカードが 4 枚そろう		約 0.02 %
ストレートフラッシュ	マークが同じ 5 枚のカードの数字が連続している		約 0.0014 %
ロイヤルストレートフラッシュ	同じマークで 10、J、Q、K、A がそろう		約 0.000154 %

4 ロト6で1等の確率は, 「600万分の1」

1～43の数字から, 6個の数字をあてる

「ロト6」という宝くじの，当せん確率をみていきましょう。ロト6は，1～43の数字の中から，6個の数字をあてるというものです。抽せんでは，6個の本数字と，2等の当せんを決定する場合だけに使用されるボーナス数字が1個選ばれます。

理論上の当せん金額は, 2億円

1等は，申込数字が本数字6個とすべて一致した場合です。その確率はおよそ $\frac{1}{600万}$ で，1等の理論上の当せん金額は2億円です。つづいて2等は，申込数字が本数字5個と一致して，さらにボ

4 ロト6の当せん確率

　下の表は，ロト6の当せん条件と確率をまとめたものです。3等以下の理論上の当せん金額は，順に30万円，6800円，1000円（原則固定）となっています。

ロト6

等数	当せん条件	当せん確率
1等	申込数字6個が本数字にすべて一致	$\dfrac{1}{609万6454}$
2等	申込数字6個のうち5個が本数字に一致し，残り1個がボーナス数字に一致	$\dfrac{6}{609万6454}$
3等	申込数字6個のうち5個が本数字に一致	$\dfrac{216}{609万6454}$
4等	申込数字6個のうち4個が本数字に一致	$\dfrac{9990}{609万6454}$
5等	申込数字6個のうち3個が本数字に一致	$\dfrac{15万5400}{609万6454}$

ーナス数字と一致した場合です。その確率は，およそ $\frac{1}{100万}$ です。2等の理論上の当せん金額は，約1000万円になります。

　以下，3等は申込数字6個のうち5個が本数字に一致した場合で，確率はおよそ $\frac{1}{3万}$ です。4等は申込数字6個のうち4個が本数字に一致した場合で，確率はおよそ $\frac{1}{600}$ 。5等は申込数字6個のうち3個が本数字に一致した場合で，確率はおよそ $\frac{1}{40}$ となります。

6個の数字の選び方の総数は
609万6454通りだピョン。

memo

5 競馬の3連単, 的中率は「3360分の1」

最も難易度の高い「3連単」

　競馬には,さまざまなレースがあります。ここでは16頭(8枠)が出走した場合を例に,あたる確率をみていきましょう。ただし確率は,16頭の馬の実力が,まったく同じと仮定した場合です。

　馬券の種類は,8種類あります。中でも難易度が高いのは,馬を3頭選ぶ「3連複」と「3連単」です。3連複は組み合わせを選ぶので,着順は関係なく,あたる確率は $\frac{1}{560}$ で,約0.18％です。3連単は着順まであてなければならないため,確率は $\frac{1}{3360}$ で,約0.03％です。

最も難易度が低い「複勝」

　逆に難易度が低いのは，馬を1頭だけ選ぶ「単勝」と「複勝」です。単勝は1着になる馬をずばりあてる，最も単純な買い方です。確率は $\frac{1}{16}$ なので，6.25％です。複勝は選んだ馬が3等までに入ればいいので，確率は $\frac{3}{16}$ で，18.75％と高くなります。

　とはいえ，宝くじとちがって，競馬の確率はそう単純ではありません。なぜなら，競馬に出走する馬には実力差があるほか，騎手の優劣など，さまざまな条件によって勝負が左右されるからです。

馬券は20歳以上でないと買えないんだチュー。

5 馬券の種類と確率

馬券の種類と,それぞれのあたる確率を表にしました。競馬は,必ずしも,確率どおりにはいきません。結果を自分で予想できる点が,競馬の楽しさの一つかもしれません。

枠番号と馬番号

枠番号	馬番号	馬の名前
1	1	アップルスター
	2	ゴールドテール
2	3	クラリティアイ
	4	ラッキーサークル
3	5	サクラウインド
	6	スピードクレイン
4	7	スマートゲート
	8	セブンロータス
5	9	ハイランドラン
	10	グランドロード
6	11	エバープラネット
	12	スペースアース
7	13	エバーダッシュ
	14	プラチナワールド
8	15	ノースブライト
	16	ディープローズ

馬券の種類と確率

種類	何を当てるか	確率
単勝	1着の馬	6.25%
複勝	3着までに入る馬	18.75%
枠連	1・2着の枠番の組み合わせ	約3.5% （同枠で買うと， 約0.83%）
馬連	1・2着の馬の組み合わせ	約0.83%
ワイド	3着までに入る2頭の馬の 組み合わせ	2.5%
馬単	1・2着の馬の着順	約0.42%
3連複	1〜3着の馬の組み合わせ	約0.18%
3連単	1〜3着の馬の着順	約0.03%

勝ちやすいギャンブルは？

　日本の公営ギャンブルで，勝てる見込みが最も高いのは何でしょうか。確率論的に期待できる数値である「期待値」で考えてみましょう（期待値の解説は，182〜185ページ）。たとえば，「宝くじ」「ロト」「toto」の全購入者の期待値は，およそ0.45〜0.5倍です。これは，胴元の取り分が半分以上であることを示しており，かなり分が悪いといえます。

　それにくらべると，競馬や競艇の期待値は約0.75倍と高くなっています。しかし，さらに上をゆく期待値1倍ごえの可能性を秘めているのが，「チャリロト」とよばれる競輪くじです。期待値が1倍をこえるということは，購入側に全額以上が還元されるということです。

チャリロトは，当せん者がいないと，払い戻し金が次回にキャリーオーバーされます。そして，配当金の上限がなんと12億円です。**このキャリーオーバーがどんどんたまっていき，理想的な条件が整うと，期待値が1倍をこえるのです。**

期待値は無限大なのに…

　コインを，表が出るまで投げつづけるゲームが
あるとします。1回目で表が出たら1円がもらえ，
1回目が裏で2回目に表が出たら2円，2回目まで
裏で3回目に表が出たら4円…，というように，
賞金が倍になっていくルールです。このゲームの
期待値は，なんと「無限大」の賞金です（期待値の
解説は，182〜185ページ）。無限に賞金をもら
えるのでしょうか。

　期待値が無限大の賞金になるという計算自体は，
まちがってはいません。しかし，胴元が無限大の
賞金を用意でき，無限回のゲームができることが
前提です。現実的には，ありえないでしょう。

　計算は正しいけれど現実的にはありえないという
このパラドックスは，スイスの数学者のダニエル・

ベルヌーイ（1700 ～ 1782）が，1738年に発表したものです。ベルヌーイが住んでいた地にちなんで，「サンクトペテルブルクのパラドックス」とよばれています。

●ゲームのルール

・1回目に表が出る (表) …………… 1円がもらえる ⤵ 2倍

・2回目に表が出る (裏)(表) ………… 2円がもらえる ⤵ 2倍

・3回目に表が出る (裏)(裏)(表) ……… 4円がもらえる ⤵ 2倍

・4回目に表が出る (裏)(裏)(裏)(表) … 8円がもらえる ⤵

●このゲームの期待値を求めると…

$$1 \times \frac{1}{2} + 2 \times \frac{1}{4} + 4 \times \frac{1}{8} + \cdots\cdots + 2^{n-1} \times \left(\frac{1}{2}\right)^n + \cdots\cdots$$
$$= \frac{1}{2} + \frac{1}{2} + \frac{1}{2} + \cdots\cdots + \frac{1}{2} + \cdots\cdots = \infty（無限大）$$

期待値はなんと無限大の賞金!!

よって，参加費がたとえ1兆円でも，このゲームに挑戦する価値がある!?

（サンクトペテルブルクのパラドックス）

貴族も賭け事に夢中？

　ここで，日本の賭博の歴史を振り返ってみましょう。賭博について記されている最も古い文献は，『日本書紀』です。685年に天武天皇が諸官を集めて賭け事を行い，4年後の689年には持統天皇が賭け事を禁止したとあります。賭け事によって，宮中が乱れるようなことがあったのでしょうか。

　行われていた賭け事は，中国から伝わった盤双六だといわれています。サイコロを振って，マス目のある盤上で駒を進める競争ゲームです。平安時代に流行し，宮中だけでなく，庶民も夢中になりました。また，囲碁をはじめとした多くの勝負事が賭けの対象となり，闘鶏なども行われたようです。

　その後も賭け事は，身分の高低を問わず行われ

つづけ，江戸時代になると，時代劇などでよく目にする「丁半博打」が大流行しました。サイコロの出目の和が，「丁（偶数）」か「半（奇数）」かを賭けるシンプルな博打です。また，宝くじの起源といわれる富くじも，江戸時代に人気を集めました。

ギャンブル好きで
確率を研究

　史上はじめて確率論の本を書いたのは，イタリア出身の数学者のジローラモ・カルダノ（1501～1576）です。もともとは医学で学位をとり，天文学や物理学，数学などにも精通していました。しかしギャンブル好きが高じて，『さいころ遊びについて』という論文を書き，その本が死後に出版されました。

　カルダノは本の中で，「二つのさいころを同時に投げて出た目の和を求めるとき，和がいくつになると賭けるのが最も有利か」という問題をとりあげています。そして，目の和が7になる組み合わせが6通りと最も多いことを示し，「7に賭けるのが最も有利」と明らかにしました。

　このような取り組みにより，カルダノは確率論の

発展に貢献しました。しかしカルダノは，ギャンブルはもうからないということを自覚していたようです。というのも，「ギャンブラーは，まったくギャンブルをしないことが最大の利益になる」という言葉を残しているからです。

第3章

まちがい
やすい確率

確率では，計算してみると直感とことなることがあります。第3章では，そんなまちがいやすい確率を紹介します。直感とことなる例として，二つの問題にも挑戦してみてください。

1 2人のうち1人が男。もう1人も男の確率は「3分の1」

直感的には，$\frac{1}{2}$ と思いがち

次の問題を考えてみましょう。「ある家族には子供が2人います。そのうち1人が男の子です。このとき，もう1人も男の子である確率はどれぐらいでしょうか？」。直感的に $\frac{1}{2}$ と思うかもしれませんが，正しい答えは $\frac{1}{3}$ です。

1人が男の子の可能性は，3通り

まず性別のパターンは，生まれた順に{男・男}，{男・女}，{女・男}，{女・女}の4通りです。この状況に「そのうち（少なくとも）1人は男」という情報が加わると，{女・女}は除外されます。すると，残された可能性は{男・男}，{男・女}，{女・男}の3通りです。このとき，

92

1 情報が加わるとどうなる？

ある家族に子供が2人いるという状況に，「そのうち（少なくとも）1人は男である」という情報が加わりました。そのときの，もう1人の子供が男の子である確率を問う問題です。

情報が加わる前

情報が加わった後

除外される

ある条件や情報がもたらされたことによって変化する確率を，「条件つき確率」というよ。

問題の条件を満たすのは{男・男}だけです。 つまり3通りのうちの一つだけなので，確率は $\frac{1}{3}$ となります。

もし，「上の子が男であるとき，もう1人も男である確率は？」という問題なら，上の子が男という情報から残された可能性は{男・男}，{男・女}の2通りです。したがって，もう1人も男になるのは，{男・男}だけなので，答えは直感通りの $\frac{1}{2}$ となります。

「条件つき確率」はイギリスの牧師で数学者でもあったトーマス・ベイズによって発見されたんだチュー。

2 精度99％の検査で陽性でも，感染確率は「1％」!?

100人のうち1人を誤って「陰性」と判定

　新型のウイルスが発生し，すでに1万人に1人の割合で感染が広がっているとします。精度99％※のウイルス感染検査を受けた人が，陽性の判定を受けました。この人は，ほぼ確実にウイルスに感染していると考えるべきなのでしょうか。

　たとえば100万人がこの検査を受けた場合，100人の感染者がいることになります。精度99％の検査は，100人の感染者のうち，平均して99人を，正しく「陽性」と判定します。しかし，残りの1人を，誤って「陰性」と判定してしまいます。これを「偽陰性」とよびます。

※：ここでは，ウイルスに感染している人を陽性と判定する精度も，ウイルスに感染していない人を陰性と判定する精度も，等しく99％であるとします。

「陽性」でも，ただちに感染しているわけではない

　一方，非感染者数は99万9900人です。**検査では，98万9901人を，正しく「陰性」と判定します。しかし，1%にあたる9999人を，誤って「陽性」と判定します。**これを「偽陽性」といいます。

　陽性と判定された人の合計は99人（陽性）+9999人（偽陽性）=1万98人です。そのうち実際に感染しているのは99人です。**これは，陽性と判定された人のわずか約1%です。**つまり，この検査で「陽性」と判定されたとしても，ただちに感染しているわけではないのです。

1万98人を対象に，別の検査を行って感染者をしぼりこむ必要があるピョン。

2 陽性でも感染していない!?

陽性と判定された1万98人のうち，実際に感染しているのは99人（約1%）にすぎません。この段階で陽性だからといって，ウイルスに感染していると考えるのは早計です。

感染者が1万人に1人しかいない，めずらしい病気の場合

ウイルスの感染者は1万人に1人。100万人の中には感染者が100人，非感染者は99万9900人。

100万人（うち感染者は100人）

非感染者99万9900人　　　　　感染者100人

陰性98万9901人　　偽陽性9999人　　陽性99人　偽陰性1人

「精度99%」の検査は，99万9900人の非感染者のうち98万9901人を正しく「陰性」と判定し，9999人を「陽性（偽陽性）」と判定。

「精度99%」の検査は，100人の実際の感染者のうち99人を正しく「陽性」と判定し，1人を「陰性（偽陰性）」と判定。感染者1人が見落とされます。

陽性（感染者）
99人

偽陽性（非感染者）
9999人

97

釈放の確率は？

　凶悪な犯罪グループの3人（犯人A，B，C）が逮捕され，処刑されることになりました。しかし3人は宝のありかを知っていることから，1人だけ釈放して，その場所を聞き出すことにしました。

　3人のうち誰が釈放されるかは，すでに決まっています。しかし，犯人たちは，誰が釈放されるのかを知りません。この場合，Aが釈放される確率は$\frac{1}{3}$です。

　Aは看守に，「おれは処刑されるのか？」とたずねましたが，教えてくれません。そこでAは看守に，「せ

めてB，Cのどちらが処刑されるかを教えてくれ」と
いいました。すると看守は，「Bは処刑される」と答
えました。AはBが処刑されることを知り，処刑され
るのはAかCのどちらか1人，つまりAが釈放される
確率が$\frac{1}{2}$になったとよろこびました。

犯人Aが釈放される確率は，本当に$\frac{1}{2}$にな
った？

ぬかよろこび

犯人Aが釈放される確率は、$\frac{1}{3}$のまま。

　まず、犯人Aが釈放される場合を考えてみましょう。この場合、犯人Bと犯人Cは2人とも処刑されます。したがって、看守がAに「Bは処刑される」という確率と、「Cは処刑される」という確率は同等なので、$\frac{1}{2}$ずつです。

　次に、Bが釈放される場合を考えてみましょう。看守は、「Aが処刑される」とは答えられないので、「Cが処刑される」としか答えられません。Cが釈放される場合も同様に、看守は「Bが処刑される」としか答えられません。

看守の答えのパターン

さて，今回看守はＡに，「Ｂが処刑される」と告げました。看守がＡに「Ｂが処刑される」と教えるパターンは，下の円グラフのように，Ａが釈放の場合のうちの半分とＣが釈放の場合です。この二つのパターンを合わせた中で，Ｃが釈放される確率は $\frac{2}{3}$ です。

　つまり，Ａは依然 $\frac{1}{3}$ の確率で釈放される運命にかわりはありません。Ａが釈放される確率は，あがっていないのです。

看守が「Ｂが処刑される」といった場合

看守は「Ｂが処刑される」といった

Ａが釈放

Ｃが釈放

看守は「Ｂが処刑される」といった

看守は「Ｂが処刑される」といったので，こちらの可能性は消える

ドアを変更すべき？

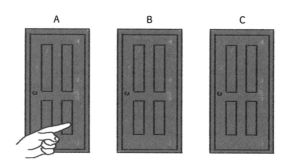

A　　　　　　B　　　　　　C

　豪華賞品がもらえるゲームで，挑戦者の前には，A，B，Cの3枚のドアがあります。賞品はどれか一つのドアの向こうにあり，残り二つのドアははずれです。司会者はあたりのドアを知っていますが，挑戦者は当然知りません。

　挑戦者がドアAを選ぶと，司会者はドアBがはずれであると見せました。そして挑戦者に，「ドアCに変更してもかまいません」ともちかけます。

【状況2】司会者がドアBを開く

A

B

はずれ

C

?

Q 挑戦者は、ドアを変更すべき？

かえてもかえなくても、同じに
感じるな～。

確率が高くなる

挑戦者は，ドアを変更すべき。

　これは，アメリカのクイズ番組から生まれた問題です。番組の司会者の名前から，「モンティ・ホール問題」とよばれています。

　ドアBがはずれとわかったら，残る選択肢はドアAとドアCの2択です。ともにあたる確率は $\frac{1}{2}$ で，ドアをかえなくても同じと考えた人も多いのではないでしょうか。しかし実際には，Aがあたる確率が $\frac{1}{3}$ で，Cがあたる確率は $\frac{2}{3}$ です。

1. 最初の段階では，A，B，Cがあたる確率はそれぞれ $\frac{1}{3}$ ずつ

2. 解答者がAを選択後，司会者がとる行動は二つにわかれる

下の円グラフ1のように，最初はA，B，Cともにあたる確率は $\frac{1}{3}$ でした。

　解答者がAを選択すると，司会者は円グラフ2のように「Aがあたり」ならBかCを残し，「Bがあたり」ならBを残し，「Cがあたり」ならCを残します。

　そして，司会者がBを開くと，円グラフ3のようにCを残す場合のうち，Aがあたる確率はやはり $\frac{1}{3}$ のままです。しかし，Cがあたる確率は $\frac{2}{3}$ と高くなるので，かえたほうが得なのです。

3. Cを残したうち，Aがあたりの可能性は $\frac{1}{3}$ のまま

Cを残す
Aが
あたり
Cが
あたり
Cを残す
司会者がBを開いたので，こちらの可能性は消える

実験してみると，実験をくりかえすうちに，選択を変更したほうが確率が高くなるはずだよ。

105

モンティ・ホール問題は，直感と答えがちがうことから，多くの人々を惑わせました。そして，数学者をも巻き込んだ議論へと発展したのです。

「史上最もIQの高い女性」といわれるマリリン・ヴォス・サヴァントは，ある雑誌で読者から質問を受けて，「かえるほうがいい」と答えました。理由も，確率が $\frac{1}{3}$ から $\frac{2}{3}$ になるという正しいものでした。これに対して多くの数学者が，誤りであると指摘し，非難しました。サヴァントも，さまざまな証明で対応しましたが，議論はおさまりませんでした。

やがてサヴァントは，学校の授業で検証することをよびかけました。すると，サヴァントが正しかったという多くの検証結果が得られたのです。国立の研究機関でもコンピューターによる検証が行

われ，100万回の施行の結果，かえたほうが66.7％の確率であたりになったといいます。こうして，サヴァントが正しかったことが，証明されたのです。

第4章

身近で活躍する確率

身近な確率といえば，天気予報があります。ほかにも地震の予測や生命保険など，さまざまな場面で確率が使われています。第4章では，そんな身近な確率を紹介します。

1 降水確率100％でも，大雨が降るとは限らない

大気の状況を把握し，コンピューターで計算

天気予報は，コンピューターによる計算によって行われています。まず，レーダーや人工衛星などで現在の大気の状況を把握し，その情報をもとに，数分後，今日，明日，1週間後などの大気の状況を計算します。そしてその計算結果にもとづいて，予報官が予報を決めます。

降水とは，1ミリメートル以上の雨

では，予報でよく聞く降水確率とは何でしょうか。まず「降水」とは，予報期間中に降水量1ミリメートル以上の雨が降るということです。降

❶ 天気予報の的中率

「雨」,「曇一時雨」などの降水があるという予報について，気象庁が公表している的中率（12か月平均）の推移です。天気予報は，未来の予報になればなるほど精度が落ちます。

気象庁が公表している「降水あり」予報的中率

翌日の予報

3日後〜7日後の予報

```
%
80
70
60
50
   1994   1998   2002   2006   2010   2014   2018 年
```

（気象庁提供の資料を加工して作成）

翌日の予報はおおむね80％弱，3日後〜7日後の予報はおおむね70％弱の的中率になっているね。

111

水確率が100％の場合，100回の予報が出たとして，100回とも1ミリメートル以上の雨が降るという意味です。数値が大きいほど雨が強くなるということではありません。逆に降水確率0％でも，強い雨が降る可能性があります。降水確率は10％きざみなので，その間は四捨五入されます。つまり降水確率0％とは，「5％未満」ということをあらわしているのです。

また，降水確率は，雨が降る時間や面積の割合ともちがいます。降水確率は，降水量1ミリメートル以上の雨が，降るかどうかの確率なのです。

降水確率0％でも，雨が降らないわけじゃないんだチュー。

memo

2 南海トラフ巨大地震の確率は，今後30年に「70〜80%」

東海から四国にまでおよぶ震源域

東海地方から紀伊半島，四国にかけての南方沖に，南海トラフとよばれる巨大地震の震源域があります。国の地震調査研究推進本部によると，南海トラフ地震が今後30年以内におきる確率は，「70〜80%」とされています。この地震の発生確率は，どのように求められているのでしょうか。

グラフの面積から求める

地震の発生確率は，「BPT（Brownian Passage Time）分布」とよばれる116〜117ページのようなグラフから求められています。グラフの縦軸は，あるときに地震がおきる可能性を示す「確率

密度」です。グラフの横軸は，時間経過です。グラフのAの部分の面積は，確率密度と時間をかけたものを足し合わせた値で，ある一定の時間内に地震がおきる可能性を示しています。このAを，AとBを合わせた全体の面積で割ると，ある一定の時間内に地震がおきる確率を求めることができます。

　南海トラフ地震の場合は，このBPT分布に「時間予測モデル」という考え方を組み合わせて確率を求めています。時間予測モデルは，前回の地震の規模が大きいほど，次の地震までの間隔が長くなるというモデルです。

常に地震に備えておくことが大事だね。

2 地震の発生確率の求め方

式とBPT分布のグラフです。確率を求めたい期間が長くなると
Aの面積がふえて，確率はあがります。地震がおきずに時間が
経過しても，Aの割合がふえて確率はあがります。

地震発生確率の求め方

$$地震の発生確率（％）= \frac{A}{A+B} \times 100$$

プレート間地震（平均間隔100年の場合）

(1) 今後30年以内に地震がおきる確率

（2）確率を求めたい期間を長くした場合

平均間隔（100年）

確率密度

Aがふえるので確率があがる。

A　B

前回の地震　　現在　　50年後

（3）地震がおきずに時間が経過した場合

平均間隔（100年）

確率密度

Bが減る割合が大きいので確率があがる。

A　B

前回の地震　　　　現在　30年後

117

3 迷惑メールは, 確率計算によって判定される

気づかないうちに, 仕分けされている

　パソコンやスマートフォンで, 迷惑メールが届いても, 気づかないうちに仕分けされていませんか。そこには, 確率が活用されています。その仕組みを知るために, 120 〜 121 ページのイラストのようなA, Bの二つの箱を思い浮かべてください。Aの箱は「迷惑メール送信者が使う言葉の箱」, Bの箱は「通常の送信者が使う言葉の箱」とします。

明らかに怪しいメールってあるよね。

迷惑メールで使われる
単語かどうか

　メールが送られてきたとき，コンピューターが
メール内で使われている単語を分析します。各単
語は，過去のメールのデータをもとに，迷惑メー
ルでよく使われる単語なのかどうかの“危険度”
が事前に計算されています。メールの中に危険度
の高い単語が多ければ，Ａの箱から送られてきた
可能性が高いことになります。

　こうして，「迷惑メールである確率」（Ａの箱か
ら送られてきた確率）を計算します。計算によっ
て出された迷惑メールである確率が基準値以上
なら，そのメールは迷惑メールと判定されるので
す。こうした計算は，くりかえし行うことで精
度が高まっています。

③ 迷惑メールの判定方法

Aの箱は，迷惑メール送信者が使う言葉の箱なので，危険度の
高い色の濃い玉が多くなっています。Bの箱は，通常の送信者
が使う言葉の箱なので，危険度の低い色の薄い玉が多くなって
います。

**メールは，迷惑メール送信者から送られてきたのか，
通常の送信者から送られてきたのか**

メールの中で使われている単語を，メー
ルを開く前にコンピューターに自動的に
分析させます。

メールの中で使われている単
語は，危険度の高い単語？
危険度の低い単語？

メールの中に，危険度の高い単語が多け
れば，迷惑メールである確率が高くなり
ます。迷惑メールである確率が基準値以
上なら，迷惑メールと判定されます。

121

スパムメールは、
缶詰のメール？

迷惑メールのことを、「スパムメール」ともいいます。この「スパム」とは、何のことなのでしょうか。**実はスパムは、加工肉缶詰のスパムのことです。**沖縄やハワイで人気の、スパムおにぎりのスパムだといえば、わかるでしょうか。

そのスパムが迷惑メールを表すようになったのは、イギリスの人気コメディー番組「空飛ぶモンティ・パイソン」のコントに由来します。ある夫婦がレストランに入ったところ、メニューがスパムの入った料理ばかりでした。夫婦は抗議をしましたが、店員や周囲の客は「スパム」と連呼するばかりという不条理な内容です。同じ言葉が理不尽にくりかえされる様子が、迷惑メールに通じると考えられたのだといいます。

その後，缶詰を製造する会社が，製品の「SPAM」と迷惑メールを区別してほしいとの声明を出しました。その結果，迷惑メールは，「spam」と小文字で表記するのが一般的になりました。

4 20代の死亡率は0.059%。保険料はいくらになる？

死亡率を基準に，保険の金額を設定

　財団法人日本アクチュアリー会では，各保険会社から提供された過去の統計データをもとに，年齢別の1年間の死亡率を集計し，公表しています。

　たとえば，20歳の男性が1年間に死亡する確率は0.059％，40歳の男性では0.118％，60歳の男性では0.653％です（2018年）。各保険会社は，この死亡率を基準に，保険の金額を設定します。

保険会社が支払う総額を，加入者で負担

例として，1年間の保険契約期間内に死亡したら1000万円が支払われるという，シンプルな生命保険を考えてみます。ただし，金利や保険会社の経費などについては，考慮に入れないことにします。

仮に，年齢ごとに10万人が加入するとします。20歳男性の場合は，1年間の死亡率が0.059％であることから，59人が亡くなると予測されます。保険会社が支払う保険金の総額は，59人×1000万円＝5億9000万円です。この5億9000万円を加入者10万人で負担すると，20歳の加入者1人あたりの保険料は5900円となります。

このようにして，保険料は算出されているのです。

4 生命保険のしくみ

1年間の契約期間内に死亡すると1000万円が支払われる生命保険を，20歳，40歳，60歳の男性で考えました。保険会社の経費等を含んでいないため，実際はもっと高くなります。

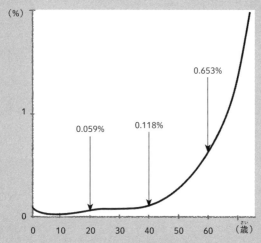

年齢別に見た日本人男性の1年間の死亡率（2018年）

0.653%

0.059%　　　0.118%

60歳の加入者に対する
保険金の支払い。
10万人 × 0.00653
× 1000万円
= 65億3000万円

20歳の加入者に対する
保険金の支払い。
10万人 × 0.00059
× 1000万円
= 5億9000万円

40歳の加入者に対する
保険金の支払い。
10万人 × 0.00118
× 1000万円
= 11億8000万円

20歳の加入者全員の
保険料総額
5億9000万円。
1人あたりの負担は,
10万人で割って
5900円

40歳の加入者全員の
保険料総額
11億8000万円。
1人あたりの負担は,
10万人で割って
1万1800円

60歳の加入者全員の
保険料総額
65億3000万円。
1人あたりの負担は,
10万人で割って
6万5300円

第5章

確率の超基本

確率論は，数学の一分野に位置づけられています。第5章では，その基本となる考え方を，具体例をまじえながら紹介します。また，どのような歴史をたどってきたのかも取り上げます。

1 確率とは何だろうか？
「数学的確率」と「統計的確率」

おきやすさの程度を数値化

日常生活でも，確率は知らず知らずのうちに使われています。「今月の彼は5割バッターだから安心だ」，「勝つのは5分5分だな」というような会話を経験したことはないでしょうか。確率とは，このようなおきやすさの「程度」を，数値化したものです。

「数学的確率」は，
理論的に計算で求める

次に，「数学的確率」と「統計的確率」という，二つの確率について考えていきましょう。「数学的確率」とは，たとえばサイコロを振って偶数の目が出る確率＝$\frac{1}{2}$などです。おきうるすべての

場合の数（サイコロのすべての目の数）と，求める場合の数（サイコロの偶数の目の数）の比率で求めることができます。同じことがおきる可能性を，理論的に計算で求めるのが，数学的確率です。

一方の「統計的確率」とは，統計を使ってある現象がおきる頻度を求めることをいいます。打率の例の場合，5 割という数値はこれまでの試合での統計を使って導きだしています。したがって，今後の打率が同様であるかどうかまではわかりません。

僕たちは普段から，何気なく確率を使っていたんだね！

1 数学的確率と統計的確率

数学的確率と統計的確率の大きなちがいは，計算だけで求められるかどうかです。数学的確率は，計算だけで求められます。一方，統計的確率は，前提となる統計データを得るための作業が必要です。

数学的確率

$$確率 = \frac{求める場合の数}{おきうるすべての場合の数}$$

（例）サイコロを1回振った場合に1が出る確率

$$\frac{1}{6}$$

統計的確率

$$確率 = \frac{事象のおきた回数}{試行回数}$$

（例）ウサギをつかまえた場合に茶色いウサギである確率

$$\frac{3}{10}$$

2 数学的確率の計算には, 「場合の数」が重要!

ある事象がおきる場合は, 何通りあるか

数学的確率は, 理論的に計算で求めることができます。数学的確率を求める際には, 「場合の数」が重要となります。**場合の数とは, ある事象がおきる場合は何通りあるかを示す数のことです。**この場合の数について, 具体的に考えてみましょう。

サイコロを振ったときに, 奇数の目が出る確率を考えます。このとき, すべてのおきうる場合の数は, 目の数と同じ1～6の6通りとなります。一方, 奇数の目が出る場合の数は, 1, 3, 5の3通りです。したがって, 求める確率は, $\frac{3}{6} = \frac{1}{2}$ となります。

樹形図を使って，もれなく数える

数があまり多くなければ，場合の数を樹形図で考えると便利です。

　樹形図は，樹木の枝のようにすべての場合を配置して，もれなく数える方法です。たとえば，A，B，Cの3人の並び方を，樹形図を使って数えてみましょう。Aが先頭の場合は，A－B－C，A－C－Bの2通りがあります（137ページのイラスト）。BとCが先頭の場合も，2通りずつあるので，合計で6通りとなります。

「場合の数」は中学校の数学で習うものだね。

2 数学的確率と場合の数

数学的確率を求める際には，場合の数が必要になります。場合の数を数えるときは，樹形図で考えると便利です。とくに数が少ないときには，効果的といえます。

数学的確率

$$確率 = \frac{求めたい場合の数}{すべてのおきうる場合の数}$$

（例）サイコロを振ったときに奇数の目が出る確率

$$確率 = \frac{サイコロの奇数の目の数}{サイコロの目の数} = \frac{3}{6} = \frac{1}{2}$$

樹形図

（例）A，B，Cの3人の並び方

$$
\left.
\begin{array}{l}
A \left< \begin{array}{l} B - C \\ C - B \end{array} \right. \\[2em]
B \left< \begin{array}{l} A - C \\ C - A \end{array} \right. \\[2em]
C \left< \begin{array}{l} A - B \\ B - A \end{array} \right.
\end{array}
\right\} 6通り
$$

樹木の枝のようにどんどん広がっていくから，樹形図というんだね。

3 1から9の9枚のカードで，2桁の数字はいくつできる？

10の位が9通り，1の位が8通りで72通り

　場合の数について，さらに考えてみましょう。1 ～ 9の数字が一つずつ書かれたカードが9枚あります。9枚のカードから2枚を取りだして2桁の数字をつくるとき，2桁の数字は何通りできるでしょうか。

　たとえば，最初に取りだしたカードを10の位とし，次に取りだしたカードを1の位にする場合，10の位は1 ～ 9の9通りで，1の位は8通りです。

　したがって，場合の数は，9×8の72通りとなります。

順番を区別して並べることを，「順列」という

　n個のことなるものからr個を取りだして，順番を区別して並べる場合の数を，「順列」といいます。順列という意味の英語の「permutation」の頭文字をとって，「$_nP_r$」とあらわします。

　1個目を取りだすときはn通りがあり，2個目を取りだすときは1個目の分を除いた（n−1）通りがあります。r個目を取りだすときは（n−r+1）通りとなり，式は次のようになります。

$$_nP_r = n \times (n-1) \times (n-2) \times \cdots \times (n-r+1) = \frac{n!}{(n-r)!}$$

　「!」は「階乗」をあらわす記号で，ある数字以下の数をすべてかけ合わせるという意味です。4!なら，4×3×2×1=24です。

3 順列の考え方と式

1〜9の数字が書かれた9枚のカードから，2枚を取りだして2桁の数字をつくる場合を，樹形図を使ってあらわしました。ここでは，最初に取りだしたカードを10の位としています。

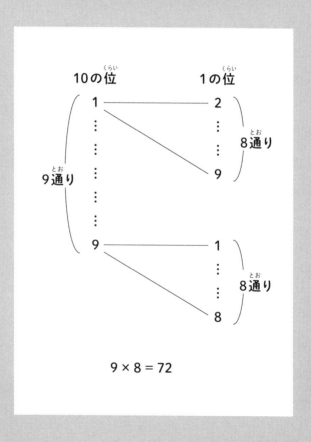

$$9 \times 8 = 72$$

順列の式

$$_n P_r = n \times (n-1) \times (n-2) \times \cdots \times (n-r+1) = \frac{n!}{(n-r)!}$$

9枚のことなるカードから2枚を取りだして並べるときは,
n=9, r=2をあてはめます。

$$\downarrow$$
$$_9 P_2 = \frac{9!}{(9-2)!} = \frac{9 \times 8 \times 7 \times 6 \times 5 \times 4 \times 3 \times 2 \times 1}{7 \times 6 \times 5 \times 4 \times 3 \times 2 \times 1} = 72$$

4 1から9の9枚のカードから, 2枚選ぶ組み合わせは何通り?

「組み合わせ」は, 引いた順番は関係ない

前のページでは, 2枚のカードの並べ方(順列)を考えました。こんどは, 2枚のカードの「組み合わせ」を考えてみましょう。

組み合わせでは, たとえば1枚目に1を引いて2枚目に2を引いた場合と, 1枚目に2を引いて2枚目に1を引いた場合を, 同じと考えます。**したがって, 1～9の数字が書かれた9枚のカードから2枚を引く場合, 場合の数は, 9 × 8 ÷ 2 = 36 通りとなります。**

組み合わせの式は，順列の式を応用する

n個のことなるものからr個を取りだす場合の数を，「組み合わせ」といいます。組み合わせという意味の英語の「combination」の頭文字をとって，「$_nC_r$」とあらわします。$_nC_r$は，順列の式を使って，次のように計算します。

$$_nC_r = \frac{_nP_r}{r!} = \frac{n \times (n-1) \times (n-2) \times \cdots \times (n-r+1)}{r \times (r-1) \times (r-2) \times \cdots \times 1}$$

$$= \frac{n!}{r!(n-r)!}$$

順列は「nPr」で，組み合わせは「nCr」か！

4 組み合わせの考え方と式

1〜9の数字が書かれた9枚のカードから、2枚を取りだして組み合わせる場合をあらわしました。組み合わせでは、1と2を選んだ場合と、2と1を選んだ場合は同じと考えます。イラストに示した二つの三角形は、同じまとまりになります。

	1	2	3	4	5	6	7	8	9
1	×	12	13	14	15	16	17	18	19
2	21	×	23	24	25	26	27	28	29
3	31	32	×	34	35	36	37	38	39
4	41	42	43	×	45	46	47	48	49
5	51	52	53	54	×	56	57	58	59
6	61	62	63	64	65	×	67	68	69
7	71	72	73	74	75	76	×	78	79
8	81	82	83	84	85	86	87	×	89
9	91	92	93	94	95	96	97	98	×

組み合わせの式

$$_nC_r = \frac{_nP_r}{r!} = \frac{n!}{r!(n-r)!}$$

9枚のことなるカードから2枚を取りだして並べるときは，n=9，r=2をあてはめます。

↓

$$_9C_2 = \frac{9!}{2! \times (9-2)!} = \frac{9 \times 8 \times 7 \times 6 \times 5 \times 4 \times 3 \times 2 \times 1}{(2 \times 1) \times (7 \times 6 \times 5 \times 4 \times 3 \times 2 \times 1)} = \frac{72}{2} = 36$$

場合の数は，「順列」か「組み合わせ」かを考えることが大事だよ。

145

5 ルーレットで，26回連続で「偶数」が出た！

約1億3700万分の1の確率

　60ページのルーレットは，盤面の数字が38種類でしたが，37種類のタイプもあります。0と，1 ～ 36の数字が書かれた小枠が並びます。このルーレットを使った，奇数が出るか偶数が出るかの賭けで，信じられない出来事がありました。

　1913年8月13日，モナコのモンテカルロのカジノで，なんと26回連続で偶数が出たのです。偶数が出る確率は $\frac{18}{37}$，奇数が出る確率も $\frac{18}{37}$ です（0は偶数でも奇数でもないとしています）。26回も偶数がつづく確率は，$\frac{18}{37}$ の26乗で，約1億3700万分の1です。

5 カジノだけがもうかる結果に

ギャンブラーたちは，偶数が15回連続で出たあたりから奇数にかけはじめました。しかし，その後も偶数が出つづけ，カジノだけがもうける結果になったのです。

前にどんな目が出ても，確率はかわらない

　このときギャンブラーたちは，15回連続で偶数が出たあたりから，次こそは奇数が出るだろうと考えました。しかし，これはまちがいです。「偶数の目がつづいたから，次は奇数が出る」，「男3人兄弟だから，次は女の子が生まれる」という考えを，「ギャンブラーの誤謬」あるいは「モンテカルロの誤謬」といいます。

　ルーレットの例でいえば，前に出た目が何であろうと，次に偶数が出る確率はつねに$\frac{18}{37}$なのです。

15回も連続で偶数が出たら，さすがにそろそろ奇数が出ると思ってしまいそう。

memo

6 コインを1000回投げると，表と裏はほぼ半分

10回だと，$\frac{1}{2}$ からはなれることもある

　投げたときに，表と裏の出る確率が等しいコインがあるとします。表か裏が出る確率は，どちらも $\frac{1}{2}$ です。このコインを1枚投げ，表か裏かを記録する実験を1000回くりかえしました（152 ～ 153ページのイラスト）。

　記録の10回分をランダムにピックアップすると，「3回が表，7回が裏」というように，$\frac{1}{2}$（＝50％）からはなれる場合もあります。100回分をピックアップすると，「45回が表，55回が裏」というように，$\frac{1}{2}$ に近くなります。そして，1000回分の結果は，表が $\frac{508}{1000}$ 回（＝50.8％），裏が $\frac{492}{1000}$ 回（＝49.2％）でした。100回の結果よりも，$\frac{1}{2}$ へとさらに近くなりました。

回数をくり返すと，本来の確率に近づく

これは，偶然ではありません。ある偶然のできごとを何度もくり返した場合，その結果は本来の確率に近づいていくのです。これを，「大数の法則」といいます。

大数の法則は，確率論の基本的な法則です。理論的には，かたよりのないコインを無限回投げれば，表と裏の出る確率は $\frac{1}{2}$（=50%）ずつになります。

「大数の法則」はスイスの数学者ヤコブ・ベルヌーイによって証明されたものだよ。

6 ▶ コイン投げの結果

1000回の実験結果から，10回，100回の結果をランダムに取りだし，見やすいように並べかえました。黒色がコインの表，灰色がコインの裏をあらわしています。回数がふえるとともに，$\frac{1}{2}$ に近づいていることがわかります。

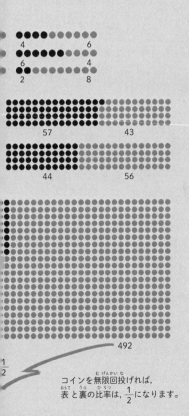

4   6

6   4

2   8

57   43

44   56

492

$\frac{1}{2}$

コインを無限回投げれば,
表と裏の比率は, $\frac{1}{2}$ になります。

153

日本のレアな貨幣

　コインの確率が出たところで，日本の貨幣にまつわる話題を紹介しましょう。小判のような古い貨幣は，文化財として高い価値があります。ところが，現在も普通に使用されている貨幣の中にも，額面以上の値段で売買されるものがあります。

　よく知られているのが，いわゆる「ギザ10」です。昭和26〜30年と，32，33年にだけ製造された，フチにギザギザがある10円硬貨です。希少性から，未使用のものには，4万円の値がつくことがあります。

　群を抜いて高い値段で取り引きされているのが，昭和62年の50円硬貨です。使用済みのものでも，4000円の値がついています。50円硬貨は，多いときに年間で4000万枚以上製造されることもありま

154

す。しかし昭和62年に製造された50円硬貨は77万5000枚しかなく，しかも「貨幣セット」として販売されたものしかありません。このため，昭和62年の50円硬貨は，高値で取り引きされているのです。

（出典：日本貨幣カタログ2019／日本貨幣商 協同組合）

> **7**
> # 三つのサイコロの合計，出やすいのは10と11

10と11は，27通りある

　三つのサイコロを振ったときの，出た目の合計を考えてみましょう。

　たとえば，合計が9となる目の出方は，25通りあります。合計が10となる目の出方は，27通りです。つまり，10のほうが出やすいことがわかります。ほかの場合も考えてみると，11になる場合も27通りあります。

　三つのサイコロを振ったときの目の合計のうち，出やすいものは10と11ということになります。

7 目の合計が10になる場合

三つのサイコロを振ったときの目の合計が，10になる場合をイラストにしました。上段は三つのサイコロを区別しない考え方で，下段は三つのサイコロを区別した考え方です。

目の合計が10になる場合

「組み合わせ」ではなく，「順列」で考える

　確率を考えるときに注意すべき点は，状況に応じて「順列」なのか「組み合わせ」なのかを，見きわめることです。三つのサイコロを振ったときの目の合計について，出やすいものを知りたいときは，順列で考えます。

　前のページのイラストを見るとわかるように，たとえば（1，3，6）の三つの目で10になるとき，組み合わせで考えると一つの場合しかありません。しかし，順列で考えると（1，3，6）（1，6，3）（3，1，6）（3，6，1）（6，1，3）（6，3，1）という六つの場合があることがわかります。

　順列で考えなければ，出やすいものを知ることができないのです。

memo

サイコロ問題

　高校3年生の中島くんと山口くん。昼食の時間に，サイコロでちょっとした賭けをすることになりました。

中島：今日は俺，菓子パンだけだよ……。おい山口，サイコロが二つあるから，ゾロ目がでたら唐揚げ1個くれよ。

山口：いいけど。でも，ゾロ目がでる確率って知ってる？

中島：えっ……。

　ここで問題です。赤と白の二つのサイコロを振ったとき，二つの目が等しくなる確率はどれくらいでしょうか（Q1）。

Q_1 二つのサイコロの目が等しくなる確率は？

その日の帰り道―。中島くんは，何やら神妙な面もちです。

中島：俺，進学するか音楽の道に進むか，迷ってるんだよね。そうだ，この二つのサイコロを振って，最大値が2だったら進学しようかな。あっ，最大値は3にしようかな。

山口：いいんじゃない。でも，確率わかっていってるの？

　ここで問題です。赤と白の二つのサイコロを振ったとき，最大値が2である確率と3である確率は，それぞれどうなるでしょうか（Q2）。

（1）二つのサイコロの目の最大値が，「2」である確率は？

（2）二つのサイコロの目の最大値が，「3」である確率は？

A① 二つの目が等しくなる確率は，$\frac{1}{6}$

白 赤	1	2	3	4	5	6
1	(1, 1)	(1, 2)	(1, 3)	(1, 4)	(1, 5)	(1, 6)
2	(2, 1)	(2, 2)	(2, 3)	(2, 4)	(2, 5)	(2, 6)
3	(3, 1)	(3, 2)	(3, 3)	(3, 4)	(3, 5)	(3, 6)
4	(4, 1)	(4, 2)	(4, 3)	(4, 4)	(4, 5)	(4, 6)
5	(5, 1)	(5, 2)	(5, 3)	(5, 4)	(5, 5)	(5, 6)
6	(6, 1)	(6, 2)	(6, 3)	(6, 4)	(6, 5)	(6, 6)

▨：赤と白のサイコロ
の目が等しい事象

■：赤より白のサイコ
ロの目が大きい事
象

▨：白より赤のサイコ
ロの目が大きい事
象

　二つのサイコロの目の出方は，6×6で36通りです。

赤と白のサイコロの目が等しくなるのは，(1, 1)(2,

2)(3, 3)(4, 4)(5, 5)(6, 6)の6通りです。確率

は，$\frac{6}{36} = \frac{1}{6}$ となります（A1）。

中島：$\frac{1}{6}$ か。あんまり高くないな。

山口：お前，ほんとに唐揚げを食べたいのか？　俺なら

　　　もっと高い確率の勝負をするけどな。

中島：いや，そこまで深く考えてないんだけど……。

A_2

(1) 二つのサイコロの目の最大値が「2」である確率は, $\frac{1}{12}$

(2) 二つのサイコロの目の最大値が「3」である確率は, $\frac{5}{36}$

赤＼白	1	2	3	4	5	6
1	(1, 1)	(1, 2)	(1, 3)	(1, 4)	(1, 5)	(1, 6)
2	(2, 1)	(2, 2)	(2, 3)	(2, 4)	(2, 5)	(2, 6)
3	(3, 1)	(3, 2)	(3, 3)	(3, 4)	(3, 5)	(3, 6)
4	(4, 1)	(4, 2)	(4, 3)	(4, 4)	(4, 5)	(4, 6)
5	(5, 1)	(5, 2)	(5, 3)	(5, 4)	(5, 5)	(5, 6)
6	(6, 1)	(6, 2)	(6, 3)	(6, 4)	(6, 5)	(6, 6)

▨ : 2個のサイコロの目の最大値が「2」である事象

▩ : 2個のサイコロの目の最大値が「3」である事象

▥ : 2個のサイコロの目の最大値が「4」である事象

░ : 2個のサイコロの目の最大値が「5」である事象

■ : 2個のサイコロの目の最大値が「6」である事象

二つのサイコロの目の出方は, 6×6で36通りです。二つのサイコロの目の最大値が2になるのは,（2，1）（2，2）（1，2）の3通りです。確率は, $\frac{3}{36} = \frac{1}{12}$ となります。一方, 二つのサイコロの目の最大値が3になるのは,（3，1）（3，2）（3，3）（2，3）（1，3）の5通りです。確率は, $\frac{5}{36}$ となります（A2）。

中島：じゃあ, 最大値2でいいかな。

山口：進学したくないんじゃん！

サイコロの歴史

　サイコロの起源は，占いや遊びで使われた，半分に割った木の実や貝殻にあるといわれています。現在のようなサイコロは，紀元前4000〜紀元前3000年ころには，使われていたようです。

　エジプトでは，紀元前3200年以降のものとみられる，現在とほぼ同じ形のサイコロが発見されています。一方，紀元前3000年ころのメソポタミア文明の遺跡からは，四面体のサイコロがみつかりました。インドでは，紀元前3000〜紀元前1500年ころのものとみられる，六面体のサイコロがみつかっています。このサイコロは，裏表の目が1と2，3と4，5と6という組み合わせです。現在のサイコロは，裏表の目の合計が7になるように配置されています。

ちなみに，サイコロの1の目が赤いのは，日本だけです。海外のサイコロは，1の目も，ほかの目と同じ黒です。なぜ日本のサイコロだけ1の目が赤いのかは，わかっていません。

古代インドのサイコロのイメージ

サイコロステーキの秘密

　サイコロステーキとは、その名の通りサイコロ状のステーキのことです。ステーキでありながら、比較的安価に提供されることが多く、人気のメニューとなっています。

　では、なぜ安価に提供できるのでしょうか。実はサイコロステーキは、多くの場合、ステーキ肉をカットしているのではありません。ミンチにした牛肉のハラミなどを牛脂と混ぜ合わせ、結着剤で固めてからサイコロ状にした、整形肉なのです。肉を切り分ける際の切れ端などが使われているため、価格がおさえられているのです。

　サイコロステーキは高度経済成長期に、ステーキを気軽に食べられるようにと、日本で考えだされたといわれています。サイコロステーキのはじま

りは，元祖といわれる店がいくつかあるものの，正確なことはわかっていません。今では原材料を厳選し，低価格ながら，味にもこだわっている商品もみられます。

8 ギャンブルから発見された，「加法定理」と「乗法定理」①

大数学者の手紙からはじまった確率論

本格的な確率論は，17世紀に交わされた，2人の大数学者の手紙からはじまったといわれています。ブレーズ・パスカル（1623 〜 1662）とピエール・ド・フェルマー（1601 〜 1665）です。2人は，ギャンブル好きの貴族からの質問を，手紙で相談しながら解決したのです。

賭けを途中で中止したときの，賭け金の分配問題

貴族の質問は次の通りです。「AとBの2人が，先に3回勝ったほうを勝ちとする勝負をする。Aが2回，Bが1回勝ったところで勝負を中止した

8 4回目以降の勝負の行方

4回目以降の勝敗のパターンを，イラストにしました。5回目で決着がつく確率を求める際に「乗法定理」を，Aが最終的に勝者となる確率を求める際に「加法定理」を用いています。

1回目

●……Aの勝ち

●……Bの勝ち

2回目

3回目

4回目でAが勝つ確率 $\frac{1}{2}$　　　$\frac{1}{2}$ 4回目でBが勝つ確率

4回目

5回目でAが勝つ確率 $\frac{1}{2}$　　　$\frac{1}{2}$ 5回目でBが勝つ確率

5回目

4回目で決着がついてAが勝者となる確率 $\frac{1}{2}$

$\frac{1}{4}$ 5回目で決着がついてAが勝者となる確率

$\frac{1}{4}$ 5回目で決着がついてBが勝者となる確率

$\frac{1}{2} + \frac{1}{4}$ → $\frac{3}{4}$ 4回目，5回目を総合してAが勝者となる確率

$\frac{1}{4}$ 4回目，5回目を総合してBが勝者となる確率

場合，A，Bへの賭け金の返還をいくらにすれば公平か」。

169ページのイラストのように，仮に勝負がつづけられたとすると，Aが先に3回勝つ確率は $\frac{3}{4}$ です。一方，Bが先に3勝する確率は $\frac{1}{4}$ です。したがって，2人の賭け金の合計を3：1で分配すればよいのです。

計算では，5回目で決着がつく確率を，4回目の勝敗の確率と5回目の勝敗の確率をかけ合わせて求めています（乗法定理）。また，最終的にAが勝者となる確率は，4回目で勝者となる確率と5回目で勝者となる確率を足し合わせて求めています（加法定理）。

パスカルは哲学者としても有名で，「人間は考える葦である」という名言を残しているんだチュー。

9 ギャンブルから発見された，「加法定理」と「乗法定理」②

2勝0敗の段階で賭けが終了した場合は？

　前のページでは，勝負が3回まで行われ，Aの2勝1敗の段階で勝負を中止した場合の，公平な賭け金の返還についてみました。では，Aが2勝0敗の段階で勝負を中止した場合，どうすれば公平に賭け金を返還できるでしょうか。A，Bが，3勝をあげる確率を求めてみましょう。

3勝する確率は，Aが$\frac{7}{8}$，Bが$\frac{1}{8}$

　まず，Aが2勝0敗の段階で終了した場合，3回目でAが勝って勝負がつく確率は$\frac{1}{2}$，3回目でBが勝ち4回目でAが勝って勝負がつく確率は$\frac{1}{2} \times \frac{1}{2} = \frac{1}{4}$，3回目と4回目でBが勝ち5回目で

Aが勝って勝負がつく確率は $\frac{1}{2} \times \frac{1}{2} \times \frac{1}{2} = \frac{1}{8}$ です。この勝負でAが勝つ確率は，これらを足し合わせて，$\frac{1}{2} + \frac{1}{4} + \frac{1}{8} = \frac{7}{8}$ です。

一方，Bが先に勝つのは，3回目，4回目，5回目すべてでBが勝つ場合のみです。その確率は，$\frac{1}{2} \times \frac{1}{2} \times \frac{1}{2} = \frac{1}{8}$ となります。

したがって，2人の賭け金は，7：1で分配すれば公平となるのです。

フェルマーは「フェルマーの最終定理」で有名だピョン。

9 3回目以降の勝負の行方

実際には行われなかった，3回目，4回目，5回目の勝負が行われた場合の確率を，イラストにしました。Aが勝つ確率は $\frac{7}{8}$，Bが勝つ確率は $\frac{1}{8}$ とわかります。

大学に現役合格する確率を,「余事象」で考える①

少なくとも一つの大学に合格する確率は？

　ある受験生は，A，B，C，D，E，Fの六つの大学を受験する予定です。この受験生の学力から計算された各大学の合格確率は，順に30%，30%，20%，20%，10%，10%だとします。この受験生が，少なくとも一つの大学に合格する確率は，どのくらいでしょうか？

すべての場合を計算し，足し合わせるのは大変

　正攻法としては，176～177ページのイラストのように，Aから順に一つの大学だけに合格する確率を求め，最後に足し合わせる方法がありま

す。たとえば「はじめに受けたAに合格する確率」は30%なので，$\frac{3}{10}$ です。次に「Aに不合格でBに合格する確率」は，Aに不合格となる確率が70%，Bに合格する確率が30%なので，$\frac{7}{10} \times \frac{3}{10} = \frac{21}{100}$ となります。

このようにすべての場合に分けて計算し，それらを足し合わせると，約74.6%という答えを導き出すことができます。一つ一つの大学の合格率は低くても，多くの大学を受験すれば，計算上はいずれかの大学に合格する可能性が高まるということです。

しかしこの正攻法では，計算に非常に手間がかかります。実はこの問題は，「余事象」という考え方を使うことによって，簡単に求めることができます。178～180ページで，くわしく解説します。

10 一つ一つ計算する正攻法

Aに合格する確率，Aに落ちてBに合格する確率，AとBに落ちてCに合格する確率，のように，一つ一つ計算して求めることができます。しかし，計算に手間がかかります。

D大学
不合格確率
80%

E大学
不合格確率
90%

F大学
不合格確率
90%

F大学
合格確率
10%

A・B・C・D・E大学に落ち，F大学に合格する確率

Ⓐ×Ⓑ×
×Ⓓ×Ⓔ

$$\frac{28224}{100000}$$

A大学
不合格確率
70%

A大学
合格確率
30%

B大学
不合格確率
70%

B大学
合格確率
30%

C大学
合格確率
20%

大学
格確率
0%

D大学
合格確率
20%

大学
確率
0%

A・B・C・D大学に落ち、

D A・B・C大学に落ち、大学に合格する確率

C A・B大学に落ち、大学に合格する確率

B A大学に落ち、大学に合格する確率

はじめに受けたA大学に合格する確率

3×Ⓒ
×Ⓔ

Ⓐ×Ⓑ×Ⓒ×Ⓓ

Ⓐ×Ⓑ×Ⓒ

Ⓐ×Ⓑ

Ⓐ

$$\frac{3136}{10000} + \frac{784}{10000} + \frac{98}{1000} + \frac{21}{100} + \frac{3}{10}$$

$$≒ 74.6\%$$

……ただし，この方法では，計算が大変です。

11 大学に現役合格する確率を，「余事象」で考える②

注目した事象以外のすべての事象

　このページでは，前のページと同じ問題を，「余事象」の考え方を使って解いてみましょう。余事象とは，「ある事象に注目した場合の，それ以外のすべての事象」のことです。今回の問題でいえば，余事象は，「すべての大学に不合格になること」です。求めたい「少なくとも一つの大学に合格する確率」は，確率全体をあらわす「1（＝100％）」から，「余事象の確率（すべての大学に不合格になる確率）」を差し引くことで計算できます。

11▶ 余事象を使った計算方法

大学ごとの不合格となる確率をかけ合わせると，すべての大学に不合格となる確率が導き出せます。それを確率全体の100％から引くだけなので，手間がかかりません。

すべての大学に不合格になる確率は？

A大学
不合格確率

$\dfrac{7}{10}$

×

B大学
不合格確率

$\dfrac{7}{10}$

×

C大学
不合格確率

$\dfrac{8}{10}$

×

D大学
不合格確率

$\dfrac{8}{10}$

×

E大学
不合格確率

$\dfrac{9}{10}$

×

F大学
不合格確率

$\dfrac{9}{10}$

↓

25.4%

少なくとも一つの大学に合格する確率
＝確率全体（100％）－すべての大学に不合格となる確率

100% － 25.4%

＝ 74.6%

同じ計算結果が，簡単に求められる

　まず，ある大学に不合格となる確率は，合格率の逆になります。合格率30％のＡ大学なら，不合格率は70％です。そして，すべての大学に不合格となる確率は，各大学の不合格となる確率をかけあわせたものです。式にすると，$\frac{7}{10} \times \frac{7}{10} \times \frac{8}{10} \times \frac{8}{10} \times \frac{9}{10} \times \frac{9}{10}$。答えを百分率になおすと，約25.4％です。**したがって，少なくとも一つの大学に合格する確率は，100％ − 約25.4％＝約74.6％となります。**

　このように余事象の考え方を使うと，同じ計算の結果が，簡単に求められるのです。

計算が，ずいぶん簡単になったね！

memo

12 確率を使って，「期待値」を求めてみよう

ゲームで期待できる得点は？

確率を使うことで求められるものに，「期待値」があります。**期待値とは，ある確率でおきる出来事の，平均の値のことです。期待値は，得られる数値と確率をかけ合わせることで求められます。**

たとえば，トランプのハートのカード13枚と，クローバー，ダイヤ，スペードの1（エース）を加えた合計16枚を使ってゲームをするとします。裏返したカードから1枚を選び，1が出れば15点，2〜9は数字どおりの得点，10〜13（キング）は10点がもらえるとします。このときの，確率的に期待できる得点が，期待値です。

得点ごとに確率をかけ、
足し合わせる

**このゲームの期待値は、カードごとに期待値を
計算し、それらを足し合わせて求めます。**

1の期待値は、1が出たときの得点が15点で、
1が出る確率が $\frac{4}{16}$ なので、$15点 × \frac{4}{16} = \frac{60}{16}$ 点
です。

2の期待値は、$2点 × \frac{1}{16} = \frac{2}{16}$ 点となります。
3 ～ 13の期待値も、同様に計算します。

そして、すべてのカードの期待値を合計する
と、$\frac{144}{16} = 9$ 点となります。

したがって、このゲームの期待値は、9点です。

カードを13枚に減らしても、
期待値の求め方は同じです。

12 このゲームの期待値の求め方

期待値は，確率にもとづいたもので，実際のゲームでは大きくはずれることもあります。しかしゲームをくりかえすと，得点の平均は，期待値の9点に近づいていきます。

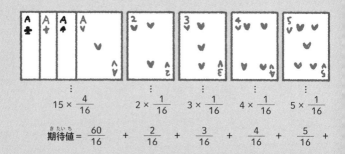

$15 \times \dfrac{4}{16}$ $2 \times \dfrac{1}{16}$ $3 \times \dfrac{1}{16}$ $4 \times \dfrac{1}{16}$ $5 \times \dfrac{1}{16}$

期待値 $= \dfrac{60}{16} \quad + \quad \dfrac{2}{16} \quad + \quad \dfrac{3}{16} \quad + \quad \dfrac{4}{16} \quad + \quad \dfrac{5}{16} \quad +$

日常生活でも，損得を考えるのに
期待値が役立ちそうだね！

$$6 \times \frac{1}{16} \qquad 7 \times \frac{1}{16} \qquad 8 \times \frac{1}{16} \qquad 9 \times \frac{1}{16} \qquad \qquad 10 \times \frac{4}{16}$$

$$\frac{6}{16} \; + \; \frac{7}{16} \; + \; \frac{8}{16} \; + \; \frac{9}{16} \; + \; \frac{40}{16} \; = \; 9$$

確率論以外の，カルダノの功績

　ギャンブル好きで，確率論の発展に貢献したカルダノは，他の数学の分野でも業績を残しています。業績の一つは，3次方程式の解の公式を世に知らしめたことです。カルダノは，イタリアの数学者であるニコロ・タルタリア（1499〜1557）から教わった公式に改良を加えて，1545年に出版した著書『アルス・マグナ（大いなる技法）』の中で発表しました。

　その『アルス・マグナ』には，「虚数」の概念が登場します。虚数とは，2乗してマイナスになる数です。もう一つの業績は，虚数を使えば，どんな2次方程式にも答えが出せることをはじめて示したことです。カルダノは虚数について，「実用上の使い道はない」としていました。しかし現代では，虚数は数学や物理学において，なくてはならない存在です。

一方私生活では，カルダノはギャンブルで身をほろぼしました。最後には自分の死期を予言して，その正しさを証明するために断食し，予言通りの日に死んだと伝えられています。

3次方程式の解の公式はタルタリアが発明したけど，『アルス・マグナ』がたくさんの人に読まれたので，今では「カルダノの公式」とよばれているんだチュー。

予言通りの死

ギャンブル好きが高じたジローラモ・カルダノ

もう1回！！
もう1回！！

①

ギャンブルにお金をつぎ込み、私生活はボロボロ……

お金がない

②

一方、占星術にも通じ、自らの死期を予言

私は★月●日に死ぬだろう

③

死期が近づくと断食し、予言どおりの日に死んだと伝えられている……

④

memo

さくいん

memo

ニュートン超図解新書
最強に面白い
微分積分

2023年7月発売予定　新書判・200ページ　990円（税込）

　微分積分なんて，いったい誰が考えだしたんだ！　と腹立たしく思ったことがある人もいるのではないでしょうか。微分積分は，中学高校で習う数学の中で，最もつまずきやすい単元の一つといわれています。

　微分積分が誕生したのには，理由があります。16～17世紀のヨーロッパでは，大砲の弾を的に当てるために，砲弾の軌道の研究がさかんに行われました。山なりに進む砲弾の進行方向は，たえず変化していきます。そのため，変化のしかたを計算で求めることができる“新しい数学”（のちの微分積分）が，どうしても必要だったのです。

　微分積分を発明したのは，アイザック・ニュートンです。本書は，2019年2月に発売された，ニュートン式超図解 最強に面白い!!『微分積分』の新書版です。ニュートンがどのように微分積分を誕生させたのかをたどりながら，微分積分をゼロから学べる1冊です。ぜひご一読ください！

余分な知識満載だワン！

ニュートン超図解新書

最強に面白い 確率

はじめに

　海水浴に行ったら，泳ぐべきなのか，泳ぐべきではないのか…。宝くじは，買ったほうがいいのか，買わないほうがいいのか…。「Re: 報酬150万円は受け取りましたか？」というタイトルのメールは，開封すべきなのか，開封すべきではないのか…。

　もちろん，どちらを選択するのも自由です。でも，この先どんなことがどれくらいおきそうなのかが事前にわかったら，選択をする際の参考になると思いませんか？そんなとき役に立つのが，「確率」です。確率は，ある出来事がどれくらいおきそうなのかを，数字であらわしたものです。つまり確率を理解すれば，より合理的な選択ができる可能性が高くなるのです！